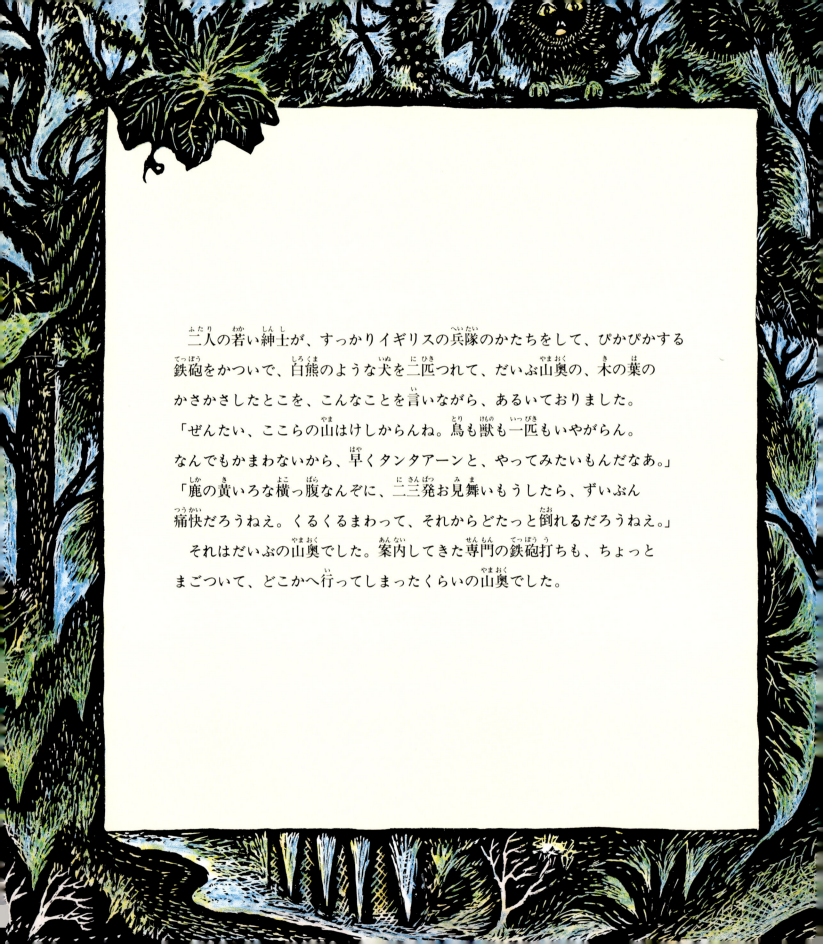

　二人の若い紳士が、すっかりイギリスの兵隊のかたちをして、ぴかぴかする鉄砲をかついで、白熊のような犬を二匹つれて、だいぶ山奥の、木の葉のかさかさしたとこを、こんなことを言いながら、あるいておりました。

「ぜんたい、ここらの山はけしからんね。鳥も獣も一匹もいやがらん。なんでもかまわないから、早くタンタアーンと、やってみたいもんだなあ。」

「鹿の黄いろな横っ腹なんぞに、二三発お見舞いもうしたら、ずいぶん痛快だろうねえ。くるくるまわって、それからどたっと倒れるだろうねえ。」

　それはだいぶの山奥でした。案内してきた専門の鉄砲打ちも、ちょっとまごついて、どこかへ行ってしまったくらいの山奥でした。

それに、あんまり山がものすごいので、その白熊のような犬が、二匹いっしょにめまいをおこして、しばらくうなって、それから泡を吐いて死んでしまいました。
「じつにぼくは、二千四百円の損害だ。」と一人の紳士が、その犬のまぶたを、ちょっとかえしてみて言いました。
「ぼくは二千八百円の損害だ。」と、もひとりが、くやしそうに、頭をまげて言いました。
　はじめの紳士は、すこし顔いろを悪くして、じっと、もひとりの紳士の、顔つきを見ながら言いました。
「ぼくはもう戻ろうと思う。」
「さあ、ぼくもちょうど寒くはなったし腹はすいてきたし戻ろうと思う。」
「そいじゃ、これできりあげよう。なあに戻りに、昨日の宿屋で、山鳥を十円も買って帰ればいい。」
「兎もでていたねえ。そうすれば結局おんなじこった。では帰ろうじゃないか。」
　ところがどうも困ったことは、どっちへ行けば戻れるのか、いっこう見当がつかなくなっていました。

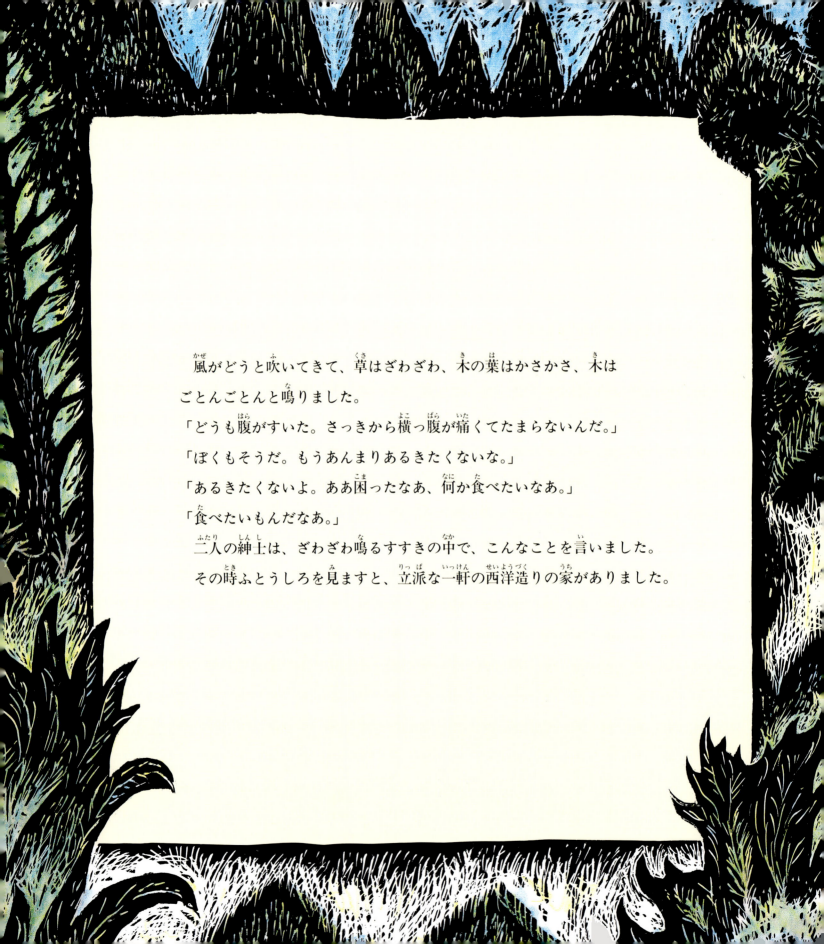

　風がどうと吹いてきて、草はざわざわ、木の葉はかさかさ、木はごとんごとんと鳴りました。
「どうも腹がすいた。さっきから横っ腹が痛くてたまらないんだ。」
「ぼくもそうだ。もうあんまりあるきたくないな。」
「あるきたくないよ。ああ困ったなあ、何か食べたいなあ。」
「食べたいもんだなあ。」
　二人の紳士は、ざわざわ鳴るすすきの中で、こんなことを言いました。
　その時ふとうしろを見ますと、立派な一軒の西洋造りの家がありました。

そして玄関には

という札がでていました。
「君、ちょうどいい。ここはこれでなかなか開けてるんだ。入ろうじゃないか。」
「おや、こんなとこにおかしいね。しかしとにかく何か食事ができるんだろう。」
「もちろんできるさ。看板にそう書いてあるじゃないか。」
「入ろうじゃないか。ぼくはもう何か食べたくて倒れそうなんだ。」
　二人は玄関に立ちました。玄関は白い瀬戸の煉瓦で組んで、じつに立派なもんです。
　そして硝子の開き戸がたって、そこに金文字でこう書いてありました。
　　「どなたもどうかお入りください。決してご遠慮はありません。」
　二人はそこで、ひどくよろこんで言いました。
「こいつはどうだ、やっぱり世の中はうまくできてるねえ、きょう一日なんぎしたけれど、こんどはこんないいこともある。この家は料理店だけれどもただでご馳走するんだぜ。」
「どうもそうらしい。決してご遠慮はありませんというのはその意味だ。」

二人は戸を押して、中へ入りました。
そこはすぐ廊下になっていました。
その硝子戸の裏側には、金文字でこうなっていました。
　　「ことに肥ったお方や若いお方は、大歓迎いたします。」
　二人は大歓迎というので、もう大よろこびです。
「君、ぼくらは大歓迎にあたっているのだ。」
「ぼくらは両方かねてるから。」

　ずんずん廊下を進んでいきますと、こんどは水いろのペンキ塗りの扉がありました。
「どうも変な家だ。どうしてこんなにたくさん戸があるのだろう。」
「これはロシア式だ。寒いとこや山の中はみんなこうさ。」
　そして二人はその扉を開けようとしますと、上に黄いろな字でこう書いてありました。
「当軒は注文の多い料理店ですからどうかそこはご承知ください。」
「なかなかはやってるんだ。こんな山の中で。」

「それあそうだ。見たまえ、東京の大きな料理屋だって大通りにはすくないだろう。」

二人は言いながら、その扉を開けました。するとその裏側に、

「注文はずいぶん多いでしょうがどうかいちいちこらえてください。」

「これはぜんたいどういうんだ。」一人の紳士は顔をしかめました。

「うん、これはきっと注文があまり多くて支度が手間どるけれどもごめんくださいとこういうことだ。」

「そうだろう。早くどこか室の中に入りたいもんだな。」

「そしてテーブルに座りたいもんだな。」

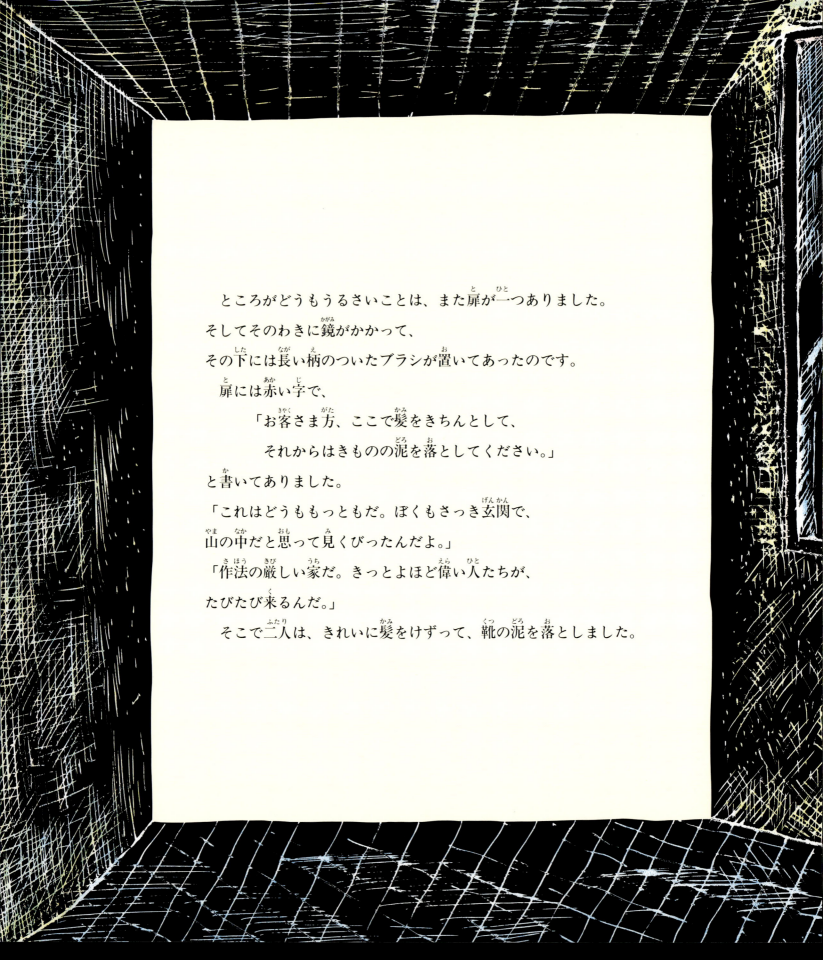

　ところがどうもうるさいことは、また扉が一つありました。
そしてそのわきに鏡がかかって、
その下には長い柄のついたブラシが置いてあったのです。
　扉には赤い字で、
　　「お客さま方、ここで髪をきちんとして、
　　　それからはきものの泥を落としてください。」
と書いてありました。
「これはどうももっともだ。ぼくもさっき玄関で、
山の中だと思って見くびったんだよ。」
「作法の厳しい家だ。きっとよほど偉い人たちが、
たびたび来るんだ。」
　そこで二人は、きれいに髪をけずって、靴の泥を落としました。

　そしたら、どうです。ブラシを板の上に置くやいなや、そいつがぼうっとかすんでなくなって、風がどうっと室の中に入ってきました。
　二人はびっくりして、互いによりそって、扉をがたんと開けて、次の室へ入っていきました。早く何か暖かいものでも食べて、元気をつけておかないと、もう途方もないことになってしまうと、二人とも思ったのでした。

扉の内側に、また変なことが書いてありました。
「鉄砲と弾丸をここへ置いてください。」
見るとすぐ横に黒い台がありました。
「なるほど、鉄砲を持ってものを食うという法はない。」
「いや、よほど偉い人が始終来ているんだ。」
二人は鉄砲をはずし、帯皮を解いて、それを台の上に置きました。

また黒い扉がありました。
「どうか帽子と外套と靴をおとりください。」
「どうだ、とるか。」
「しかたない、とろう。たしかによっぽど偉い人なんだ。奥に来ているのは。」
二人は帽子とオーバコートを釘にかけ、靴をぬいでぺたぺたあるいて扉の中に入りました。

扉の裏側には、
「ネクタイピン、カフスボタン、眼鏡、財布、その他金物類、ことに尖ったものは、みんなここに置いてください。」
と書いてありました。扉のすぐ横には黒塗りの立派な金庫も、ちゃんと口を開けて置いてありました。鍵まで添えてあったのです。
「ははあ、何かの料理に電気をつかうとみえるね。金気のものはあぶない。ことに尖ったものはあぶないとこういうんだろう。」

「そうだろう。してみると勘定は帰りにここで払うのだろうか。」
「どうもそうらしい。」
「そうだ。きっと。」
　二人は眼鏡をはずしたり、カフスボタンをとったり、みんな金庫の中に入れて、ぱちんと錠をかけました。
　すこし行きますとまた扉があって、その前に硝子の壺が一つありました。

扉にはこう書いてありました。
「壺の中のクリームを顔や手足にすっかり塗ってください。」
見るとたしかに壺の中のものは牛乳のクリームでした。
「クリームを塗れというのはどういうんだ。」
「これはね、外がひじょうに寒いだろう。
室の中があんまり暖かいとひびがきれるから、その予防なんだ。
どうも奥には、よほど偉い人が来ている。こんなとこで、
案外ぼくらは、貴族とちかづきになるかもしれないよ。」
二人は壺のクリームを、顔に塗って手に塗って
それから靴下をぬいで足に塗りました。
それでもまだ残っていましたから、それは二人ともめいめい
こっそり顔へ塗るふりをしながら食べました。

　それから大急ぎで扉を開けますと、その裏側には、
「クリームをよく塗りましたか、耳にもよく塗りましたか。」
と書いてあって、ちいさなクリームの壺がここにも置いてありました。
「そうそう、ぼくは耳には塗らなかった。あぶなく耳にひびをきらすとこだった。ここの主人はじつに用意周到だね。」
「ああ、細かいとこまでよく気がつくよ。ところでぼくは早く何か食べたいんだが、どうもこうどこまでも廊下じゃしかたないね。」
　するとすぐその前に次の戸がありました。

「料理はもうすぐできます。十五分とお待たせはいたしません。
すぐ食べられます。
早くあなたの頭に瓶の中の香水をよく振りかけてください。」
そして戸の前には金ピカの香水の瓶が置いてありました。
二人はその香水を、頭へぱちゃぱちゃ振りかけました。
ところがその香水は、どうも酢のような匂いがするのでした。
「この香水はへんに酢くさい。どうしたんだろう。」
「まちがえたんだ。下女が風邪でもひいてまちがえて入れたんだ。」
二人は扉を開けて中に入りました。

扉の裏側には、大きな字でこう書いてありました。
「いろいろ注文が多くてうるさかったでしょう。
お気の毒でした。もうこれだけです。どうかからだ中に、
壺の中の塩をたくさんよくもみこんでください。」
なるほど立派な青い瀬戸の塩壺は置いてありましたが、
こんどというこんどは二人ともぎょっとしてお互いに
クリームをたくさん塗った顔を見合わせました。
「どうもおかしいぜ。」
「ぼくもおかしいと思う。」
「たくさんの注文というのは、向こうがこっちへ注文してるんだよ。」
「だからさ、西洋料理店というのは、ぼくの考えるところでは、
西洋料理を、来た人に食べさせるのではなくて、
来た人を西洋料理にして、食べてやる家とこういうことなんだ。
これは、その、つ、つ、つ、つまり、ぼ、ぼ、ぼくらが……。」
がたがたがたがた、ふるえだしてもうものが言えませんでした。
「その、ぼ、ぼくらが、……うわあ。」
がたがたがたがたふるえだして、もうものが言えませんでした。
「逃げ……。」がたがたしながら一人の紳士はうしろの戸を
押そうとしましたが、どうです、戸はもう一分も動きませんでした。

郵 便 は が き

| 5 | 8 | 1 | 8 | 5 | 0 | 5 |

おそれいりますが切手をおはりください。

（受取人）
大阪府八尾市若林町1-76-2

三起商行株式会社

『ミキハウスの絵本』担当 行

ご記入いただいたお客様の個人情報は、三起商行株式会社の出版物刊行における企画の参考およびお客様への新刊情報やイベントなどのご案内の目的のみに利用いたします。他の目的では使用いたしません。ご案内などご不要の場合は、右の枠に×を記入してください。

お名前（フリガナ）	男 ・ 女 年令　　才	ミキハウスの絵本を他にお持ちですか？ YES ・ NO
お子様のお名前（フリガナ）	男 ・ 女 年令　　才	以前このハガキを出したことがありますか YES ・ NO

ご住所（〒　　　　　）

TEL　（　　　）　　　　FAX　（　　　）

メールアドレス　　　　　　　　＠

miki HOUSE

m H ミキハウスの絵本

（今後の出版活動に役立たせていただきます）

ミキハウスの絵本をお買い上げいただき、誠にありがとうございます。
ご自身が読んでみたい絵本、大切な方に贈りたい絵本などご意見をお聞かせくださ

お求めになった店名	この本の書名

この本をどうしてお知りになりましたか。
1. 店頭で見て　2. ミキハウスオフィシャルサイトで　3. 図書館で
4. 新聞・雑誌・TVで見て（　　　　　　　　　　　　　　　　）
5. 人からすすめられて　　6. プレゼントされて
7. その他（　　　　　　　　　　　　　　　　　　　　　　　）

この絵本についてのご意見・ご感想をおきかせ下さい。(装幀、内容、価格など)

最近おもしろいと思った本があれば教えて下さい。
（書名）　　　　　　　　　　（出版社）

お子様は（またはあなたは）絵本を何冊位お持ちですか。　　　　冊位

ご協力ありがとうございまし

奥のほうにはまだ一枚扉があって、大きな鍵穴が二つつき、
銀いろのホークとナイフの形が切りだしてあって、
　　「いや、わざわざご苦労です。
　　たいへん結構にできました。
　　さあさあおなかにお入りください。」
と書いてありました。おまけに鍵穴からは
きょろきょろ二つの青い眼玉がこっちをのぞいています。
「うわあ。」がたがたがたがた。
「うわあ。」がたがたがたがた。
　二人は泣きだしました。
　すると戸の中では、こそこそこんなことを言っています。
「だめだよ。もう気がついたよ。塩をもみこまないようだよ。」
「あたりまえさ。親分の書きようがまずいんだ。
あすこへ、いろいろ注文が多くてうるさかったでしょう、
お気の毒でしたなんて、間抜けたことを書いたもんだ。」
「どっちでもいいよ。どうせぼくらには、
骨も分けてくれやしないんだ。」
「それはそうだ。けれどももしここへあいつらが
入ってこなかったら、それはぼくらの責任だぜ。」

「呼ぼうか、呼ぼう。おい、お客さん方、
早くいらっしゃい。いらっしゃい。いらっしゃい。
お皿も洗ってありますし、菜っ葉ももうよく塩でもんでおきました。
あとはあなた方と、菜っ葉をうまくとりあわせて、
まっ白なお皿にのせるだけです。早くいらっしゃい。」
「へい、いらっしゃい、いらっしゃい。
それともサラドはお嫌いですか。そんならこれから火を起こして
フライにしてあげましょうか。とにかく早くいらっしゃい。」
　二人はあんまり心を痛めたために、
顔がまるでくしゃくしゃの紙くずのようになり、
お互いにその顔を見合わせ、ぶるぶるふるえ、声もなく泣きました。
　中ではふっふっとわらってまた叫んでいます。
「いらっしゃい、いらっしゃい。
そんなに泣いてはせっかくのクリームが流れるじゃありませんか。
へい、ただいま。じき持ってまいります。さあ、早くいらっしゃい。」
「早くいらっしゃい。親方がもうナフキンをかけて、
ナイフを持って、舌なめずりして、お客さま方を待っていられます。」
　二人は泣いて泣いて泣いて泣いて泣きました。

その時うしろからいきなり、
「わん、わん、ぐわあ。」という声がして、あの白熊のような犬が
二匹、扉をつきやぶって室の中に飛びこんできました。
鍵穴の眼玉はたちまちなくなり、犬どもはううとうなって
しばらく室の中をくるくるまわっていましたが、また一声
「わん。」と高く吠えて、いきなり次の扉に飛びつきました。
戸はがたりと開き、
犬どもは吸いこまれるように飛んでいきました。
　その扉の向こうのまっくらやみの中で、
「にゃあお、くわあ、ごろごろ。」という声がして、
それからがさがさ鳴りました。

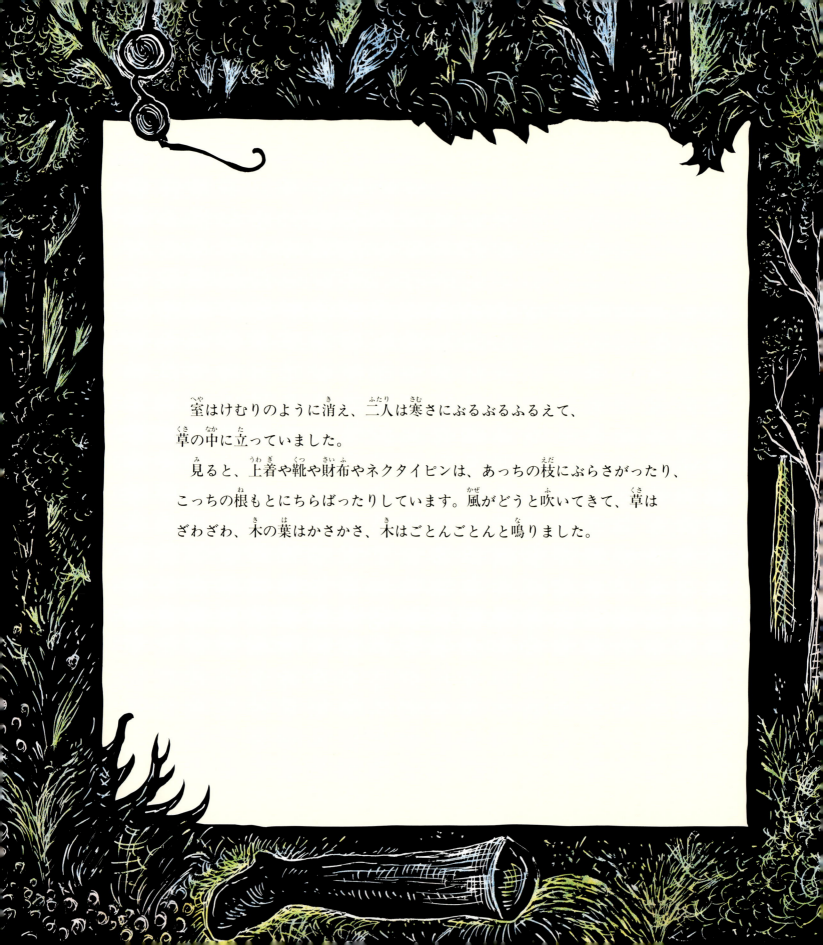

　室はけむりのように消え、二人は寒さにぶるぶるふるえて、草の中に立っていました。
　見ると、上着や靴や財布やネクタイピンは、あっちの枝にぶらさがったり、こっちの根もとにちらばったりしています。風がどうと吹いてきて、草はざわざわ、木の葉はかさかさ、木はごとんごとんと鳴りました。

犬がふうとうなって戻ってきました。

そしてうしろからは、

「旦那あ、旦那あ、」と叫ぶものがあります。

二人はにわかに元気がついて

「おおい、おおい、ここだぞ、早く来い。」と叫びました。

蓑帽子をかぶった専門の猟師が、草をざわざわ分けてやってきました。

そこで二人はやっと安心しました。

そして猟師の持ってきた団子を食べ、途中で十円だけ山鳥を買って東京に帰りました。

しかし、さっき一ぺん紙くずのようになった二人の顔だけは、東京に帰っても、お湯に入っても、もうもとのとおりになおりませんでした。

本書では、原文の旧字・旧かなづかいを新字・新かなづかいにあらため、表記を統一しています。

注文の多い料理店　原作●宮沢賢治　絵●スズキコージ　デザイン協力●羽島一希　40p　26×25cm
発行者●木村皓一　発行所●三起商行株式会社　〒581-8505　大阪府八尾市若林町1-76-2　電話0120-645-605
企画●株式会社ミキハウス　編集制作●株式会社アスク出版　東京都新宿区下宮比町2-6　印刷・製本●凸版印刷株式会社
発行日●初版 第1刷　1987年11月20日　第19刷　2023年4月22日　落丁本・乱丁本はお取り替えいたします。
Ⓒ1987　Koji Suzuki　Printed in Japan　ISBN978-4-89588-106-7　C8793
本書の一部あるいは全部を無断でコピー・スキャン・デジタル化することは、著作権法上の例外を除き、禁じられています。

絵・**スズキコージ**

1948年静岡県生まれ。
絵本や挿画のほか、イラストレーターとして
ポスター・壁画・舞台美術などでも活躍。
絵本は『うみのカラオケ』(クレヨンハウス)、『サルビルサ』(架空社)
『ブレーメンのおんがくたい』『北守将軍と三人兄弟の医者』
(ミキハウス)ほか多数。
『エンソくん きしゃにのる』(福音館書店)で小学館絵画賞、
『ガラスめだまときんのつののやぎ』と
『やまのディスコ』(架空社)で絵本にっぽん賞、
『おばけドライブ』(ビリケン出版)で講談社出版文化賞絵本賞を受賞。
物語の挿画や作家との共作の絵本も数多く、
『ドームがたり』(作・アーサー・ビナード／玉川大学出版部)で、
第23回日本絵本賞受賞。
2020年に刊行された『スズキコージの大魔法画集』(平凡社)に、
デビュー前から現在に至るまでの創作の軌跡が多数収録された。
エッセイ『てのひらのほくろ村』(架空社)がある。